Quem canta seus males espanta

Coordenação
Theodora Maria Mendes de Almeida

Conforme a nova ortografia

Caramelo

©1998 by Bola de Neve Jardim da Infância S/C

Por se tratar de projeto educativo, fizeram-se todos os esforços para localizar os detentores dos direitos das músicas. Em caso de omissão, involuntária, quaisquer créditos faltantes serão incluídos nas edições futuras.

Diretor editorial: Thales Guaracy
Gerente editorial: Luís Colombini
Editora: Débora Guterman
Editores-assistentes: Johannes C. Bergmann, Paula Carvalho e Richard Sanches
Assistente editorial: Luiza Del Monaco
Edição de arte: Carlos Renato
Serviços editoriais: Luciana Oliveira
Produção gráfica: Liliane Cristina Gomes

Revisão: Christina Binato
Diagramação: Fernanda Matajs
Capa: Soraia Kajiwara
Arte-finalização: Eduardo Amaral – Duligraf
Impressão e acabamento: Geográfica Editora

Dados Internacionais de Catalogação na Publicação (CIP)
(Câmara Brasileira do livro, SP, Brasil)

_____

    Quem canta seus males espanta / coordenação Theodora Maria Mendes de Almeida — São Paulo, Editora Caramelo, 1998.

    Vários ilustradores
    Acompanha CD
    ISBN 978-85-73-40054-0

    1. Canções Infantis 2. Cantigas de rodas I. Almeida, Theodora Maria Mendes de

98-3025   CDD 784.724
_____

2ª edição | 5ª tiragem, 2014

SARAIVA S.A. Livreiros Editores
Rua Henrique Schaumann, 270 – Pinheiros
05413-010 – São Paulo - SP

SAC | 0800-0117875
     | De 2ª a 6ª, das 8h30 às 19h30
     | www.editorasaraiva.com.br/contato

840236.002.005

Quem canta seus males espanta

As parlendas e muitas das músicas que cantamos com as crianças fazem parte do folclore infantil brasileiro.

Temos nos empenhado em preservar e cultivar esse rico patrimônio cultural.

É preciso que aquelas cantigas que antigamente acompanhavam as brincadeiras das crianças na rua tenham hoje seu espaço garantido nas escolas, que passam assim a cumprir a importante função de transmiti-las a cada nova geração.

Penso ser um grande privilégio trabalhar todos os dias com os alunos, cantando, recitando, interpretando e criando junto com eles. Nesse ponto, nossa atividade se assemelha à dos artistas.

Foi partindo dessas vivências que surgiu a ideia de fazer uma coletânea de todo o repertório.

Ao atuar como 'cantores' e também como ilustradores, os alunos contribuíram deixando sua marca, sua voz, suas experiências e seu entendimento.

Theodora Maria Mendes de Almeida
Coordenadora Pedagógica
Bola de Neve Jardim da Infância

Proposta Pedagógica

Despertar o interesse pela riqueza da nossa língua, por meio da magia das palavras, e pelo prazer da comunicação foram alguns de nossos objetivos.

O trabalho pedagógico, portanto, envolveu:

- o desenvolvimento da expressão verbal.
- a expressão corporal — criando e aprendendo movimentos, gestos, danças em roda.
- o ritmo — diferenças entre formas de cantar as músicas e de dizer as parlendas.
- a memória.
- aumento significativo do vocabulário.
- as relações entre a linguagem oral e a escrita — ao escrever as letras, optamos por manter as músicas de acordo com a 'língua que se fala', que é diferente da 'língua que se escreve', preservando assim a tradição da oralidade popular.
- conhecimento da cultura de diferentes partes de nosso país, que criaram as diversas formas de cantar uma mesma música.
- criação de um ritual — toda semana, os alunos da escola realizam para os seus colegas apresentações das músicas e parlendas estudadas e cantadas durante a semana. Vivemos, assim, a interação das classes e a compreensão da escola como um todo.
- ilustração — com base nas letras e em seu significado, cada aluno utiliza técnicas de desenho, pintura ou colagem para se expressar.

Para
Júlia, Luísa e Tiago,
queridos representantes da nossa nova geração.

Agradecimentos

Este livro não seria possível sem a participação e o empenho dos seguintes companheiros de trabalho.

Marta Maria Quilici

Alessandra Puga Cano

Deborah Gross

Luciana Árias Oller Alves

Renata Machado Afonso

Andréa Vacarelli Borges

Irene Negreiros Dinis Martins

Marco Alexandre Bernardes Pereira

Josefa Soares da Silva

Nélia Silva Pereira

Ângela Maria Lima do Nascimento

Sinay da Silva Flores

Renilda Ferreira da Silva Lima

José de Arimatéia Soares da Rocha

Sandra Regina Santos Martins

Márcia Eriko Momose

Benedito Soares da Silva

Isilda Fleury de Camargo

Rosana Augone

Theodora Maria Mendes de Almeida

Patrícia Helena Mendes de Almeida

João Mendes de Almeida Jr.

André Mendes de Almeida

Zarifi Ale

Agradecemos especialmente aos nossos alunos e a seus pais.
Agradecemos também aos amigos
Lígia Siciliano Novazzi e
Osvaldo Siciliano Júnior.

S u m

ário

O MEU CHAPÉU

O MEU CHAPÉU TEM TRÊS PONTAS
TEM TRÊS PONTAS O MEU CHAPÉU
SE NÃO TIVESSE TRÊS PONTAS
NÃO SERIA O MEU CHAPÉU.

Ilustrado por
Thais Moreira Nunes

PARLENDA

POMBINHA BRANCA,
QUE ESTÁ FAZENDO?
LAVANDO ROUPA
PRO CASAMENTO
VOU ME LAVAR
VOU ME SECAR
VOU NA JANELA
PRA NAMORAR
PASSOU UM HOMEM
DE TERNO BRANCO
CHAPÉU DO LADO
MEU NAMORADO
MANDEI ENTRAR
MANDEI SENTAR
CUSPIU NO CHÃO
— LIMPA AÍ, SEU PORCALHÃO!
TENHA MAIS EDUCAÇÃO!

Ilustrado por
Victor Ferradosa Morato

A GALINHA DO VIZINHO

A GALINHA DO VIZINHO
BOTA OVO AMARELINHO

BOTA UM,

BOTA DOIS,

BOTA TRÊS,

BOTA QUATRO,

BOTA CINCO,

BOTA SEIS,

BOTA SETE,

BOTA OITO,

BOTA DEZ.

BOTA NOVE,

Ilustrado por
Pedro Henrique
Ferro de Brito

EU VI UMA BARATA

EU VI UMA BARATA
NA CARECA DO VOVÔ
ASSIM QUE ELA ME VIU
BATEU ASAS E VOOU.

SEU JOAQUIM, QUIRIM QUIM
DA PERNA TORTA, TA RA TA
DANÇANDO CONGA, RA GA
CO'A MARICOTA, RA TA.

Ilustrado por
Thiago de Oliveira
Chazan Breitbarg

12 PIRULITO

PIRULITO QUE BATE, BATE
PIRULITO QUE JÁ BATEU
QUEM GOSTA DE MIM É ELA
QUEM GOSTA DELA SOU EU.

Ilustrado por
Bruno Rodrigues de Araújo

PARLENDA

LÁ EM CIMA DO PIANO
TINHA UM COPO DE VENENO
QUEM BEBEU MORREU
O AZAR FOI SEU.

Ilustrado por
Ricardo Marques Dutra Vaz

CARANGUEJO

PALMA, PALMA, PALMA
PÉ, PÉ, PÉ
RODA, RODA, RODA
CARANGUEJO PEIXE É.

CARANGUEJO NÃO É PEIXE
CARANGUEJO PEIXE É
CARANGUEJO SÓ É PEIXE
NA ENCHENTE DA MARÉ.

ORA PALMA, PALMA, PALMA
ORA PÉ, PÉ, PÉ
ORA RODA, RODA, RODA
CARANGUEJO PEIXE É!

Ilustrado por
Eduardo Abduch Catelani

TIM, TIM, TIM
QUEM BATE AÍ?
SOU EU, MINHA SENHORA,
O PINTOR DE JUNDIAÍ.

PODE ENTRAR E SE SENTAR
CONFORME AS PINTURAS
NÓS IREMOS CONVERSAR.

LÁ EM CIMA
QUERO TUDO BEM PINTADO
SÓ PARA AS MOCINHAS
DO SAPATO ENVERNIZADO.

LÁ EMBAIXO
QUERO UM PÉ DE BANANEIRA
SÓ PARA ALEGRAR O
CORAÇÃO
DA COZINHEIRA.

NO PORTÃO
QUERO SETE CACHORRÕES
SÓ PARA ASSUSTAR
A CARA FEIA DOS LADRÕES.

TIM, TIM, TIM
JÁ DEU SEIS HORAS
ADEUS, MINHA SENHORA,
O PINTOR JÁ VAI EMBORA.

Ilustrado por
Pedro di Rienzo
Oliveira Azevedo

A CANOA VIROU

A CANOA VIROU
POR DEIXAR ELA VIRAR
FOI POR CAUSA DO ZÉ
QUE NÃO SOUBE REMAR.

TIRIRI PRA LÁ
TIRIRI PRA CÁ
O ZÉ É VELHO
E NÃO QUER CASAR.

Ilustrado por
José Lucas Kulaif de Magalhães Castro

AGÁ, AGÁ
A GALINHA QUER, BOTAR
IJÊ, IJÊ
MINHA MÃE ME DEU UMA SURRA
FUI PARAR NO TIETÊ.
ALÔ, ALÔ
O GALO JÁ CANTOU
AMARELO, AMARELO
FUI PARAR NO CEMITÉRIO
ROXO, ROXO
FUI PARAR DENTRO DO COCHO.

Ilustrado por
Victoria Abduch Catelani

18 PEIXINHO NO AQUÁRIO

EU TENHO UM PEIXINHO NO AQUÁRIO
COLORIDO E BRINCALHÃO
GIRA, GIRA
QUE MERGULHO
SÓ PRA CHAMAR ATENÇÃO.

Ilustrado por
Isabela Yoshizawa

CACHORRINHO ESTÁ LATINDO
LÁ NO FUNDO DO QUINTAL
CALA BOCA, CACHORRINHO
DEIXA O MEU BENZINHO EM PAZ.
CRIÔ LÊ LÊ
CRIÔ LÊ LÊ LÁ LÁ
CRIÔ LÊ LÊ
NÃO SOU EU QUE CAIO LÁ.

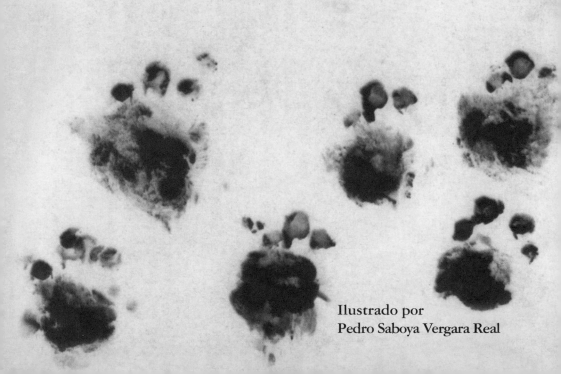

Ilustrado por
Pedro Saboya Vergara Real

20 PAI FRANCISCO

PAI FRANCISCO ENTROU NA RODA
TOCANDO SEU VIOLÃO
PARARÃO, DÃO, DÃO

E VEM DE LÁ SEU DELEGADO
E PAI FRANCISCO FOI PRA PRISÃO

COMO ELE VEM TODO REQUEBRADO
PARECE UM BONECO DESENGONÇADO.

Ilustrado por
Júlia Motta Castro de Souza

PARLENDA

SALADA, SALADINHA
BEM TEMPERADIHHA
COM SAL, PIMENTA
UM, DOIS, TRÊS.

Ilustrado por
Manuel Rodrigues
Tavares de Almeida Neto

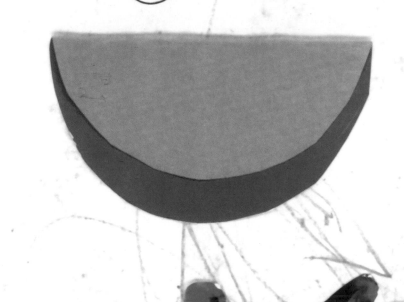

O SAPO NÃO LAVA O PÉ

O SAPO NÃO LAVA O PÉ
NÃO LAVA PORQUE NÃO QUER
ELE MORA LÁ NA LAGOA
NÃO LAVA O PÉ
PORQUE NÃO QUER
MAS QUE CHULÉ!

Ilustrado por
Beatriz Nascimento
Figueiredo Lebre Martins

— CADÊ O TOUCINHO QUE ESTAVA AQUI?

— O GATO COMEU.

— CADÊ O GATO?

— FUGIU PRO MATO.

— CADÊ O MATO?

— O FOGO QUEIMOU.

— CADÊ O FOGO?

— A ÁGUA APAGOU.

— CADÊ A ÁGUA?

— O BOI BEBEU.

— CADÊ O BOI?

— ESTÁ AMASSANDO TRIGO.

— CADÊ O TRIGO?

— A GALINHA ESPALHOU.

— CADÊ A GALINHA?

— ESTÁ BOTANDO OVO.

— CADÊ O OVO?

— QUEBROU!

Ilustrado por
Marina Veneziani Marega

SANTA CLARA

SANTA CLARA CLAREOU
SÃO DOMINGO ILUMINOU
VAI CHUVA, VEM SOL
VAI CHUVA, VEM SOL.

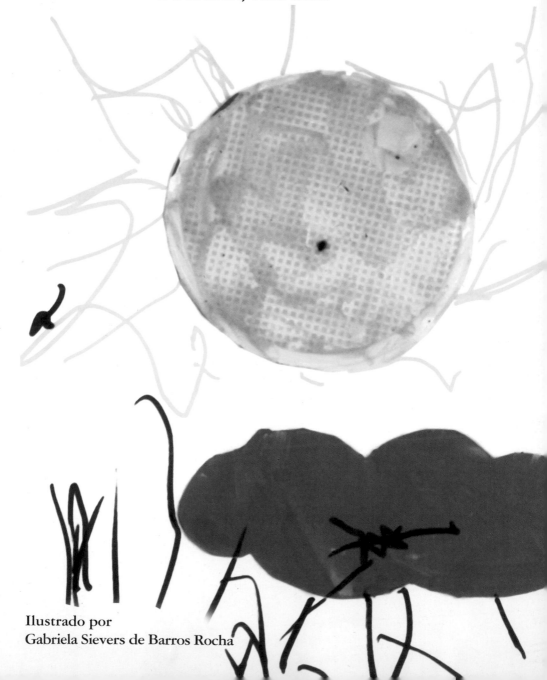

Ilustrado por
Gabriela Sievers de Barros Rocha

SA-SA-SAPO

SA-SA-SAPO
NA LAGOA
CAN-CAN-CANTA
NOITE E DIA.

CAI, CAI, CAI
CAI A GAROA
CHOVE, CHOVE
CHUVA FRIA.

Ilustrado por
Cauê Bettini Paes Leme

PARLENDA

HOJE É DOMINGO
PÉ DE CACHIMBO
O CACHIMBO É DE OURO
BATE NO TOURO
O TOURO É VALENTE
BATE NA GENTE
A GENTE É FRACO
CAI NO BURACO
O BURACO É FUNDO
ACABOU-SE O MUNDO.

Ilustrado por
Daniel Lemos Bresciane

A JANELINHA

A JANELINHA FECHA
QUANDO ESTÁ CHOVENDO
A JANELINHA ABRE
SE O SOL ESTÁ APARECENDO.

FECHOU, ABRIU
FECHOU, ABRIU, FECHOU.

ABRIU, FECHOU
ABRIU, FECHOU, ABRIU.

Ilustrado por
Georgia Bianco Januzzi

CROCODILO

LÁ VEM O CROCODILO
ORANGOTANGO
AS DUAS SERPENTINAS
A ÁGUIA REAL
O GATO
O RATO
NÃO FALTOU NINGUÉM

SÓ NÃO SE VÊ
OS DOIS CAPELÊS.

Ilustrado por
Luis Felipe Fessel Ayres Netto

SEU LOBATO TINHA UM SÍTIO, IA, IA, Ô!
E NESSE SÍTIO TINHA UM CACHORRINHO, IA, IA, Ô!
ERA AU, AU, AU, PRA CÁ
ERA AU, AU, AU, PRA LÁ
ERA AU, AU, AU, PRA TODO LADO
IA, IA, Ô!

SEU LOBATO TINHA UM SÍTIO, IA, IA, Ô!
E NESSE SÍTIO TINHA UM PINTINHO, IA, IA, Ô!
ERA PIU, PIU, PIU, PRA CÁ
ERA PIU, PIU, PIU, PRA LÁ
ERA PIU, PIU, PIU, PRA TODO LADO
IA, IA, Ô
IA, IA, Ô!

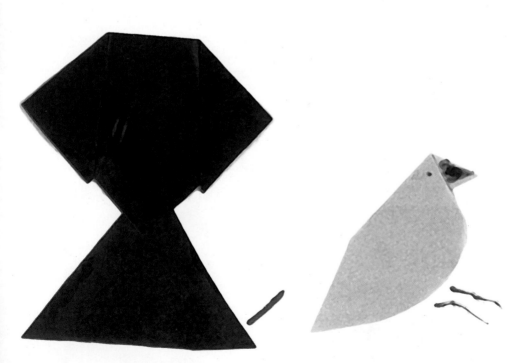

Ilustrado por
Giuseppe Battista

LOJA DO MESTRE ANDRÉ

AI Ô LÉ, AI Ô LÉ
FOI NA LOJA DO MESTRE ANDRÉ.

FOI NA LOJA DO MESTRE ANDRÉ
QUE EU COMPREI UM PIANINHO
PLIM, PLIM, PLIM, UM PIANINHO.

FOI NA LOJA DO MESTRE ANDRÉ
QUE EU COMPREI UM VIOLÃO
DÃO, DÃO, DÃO, UM VIOLÃO
PLIM, PLIM, PLIM, UM PIANINHO.

FOI NA LOJA DO MESTRE ANDRÉ
QUE EU COMPREI UMA FLAUTINHA
FLÁ, FLÁ, FLÁ, UMA FLAUTINHA
DÃO, DÃO, DÃO, UM VIOLÃO
PLIM, PLIM, PLIM, UM PIANINHO.

Ilustrado por
Guilherme Alves Mattos

MEU PINTINHO AMARELINHO
CABE AQUI NA MINHA MÃO
NA MINHA MÃO
QUANDO QUER COMER BICHINHO
COM SEU PEZINHO ELE CISCA O CHÃO
ELE BATE AS ASAS
ELE FAZ PIU, PIU
MAS TEM MUITO MEDO É DO GAVIÃO.

Ilustrado por
Carolina Abrusio Carneiro da Cunha

CABEÇA, OMBRO, PERNA E PÉ

CABEÇA, OMBRO, PERNA E PÉ
PERNA E PÉ
CABEÇA, OMBRO, PERNA E PÉ
PERNA E PÉ.

OLHOS, ORELHAS, BOCA E NARIZ
CABEÇA, OMBRO, PERNA E PÉ
PERNA E PÉ.

Ilustrado por
Zandor Peltier

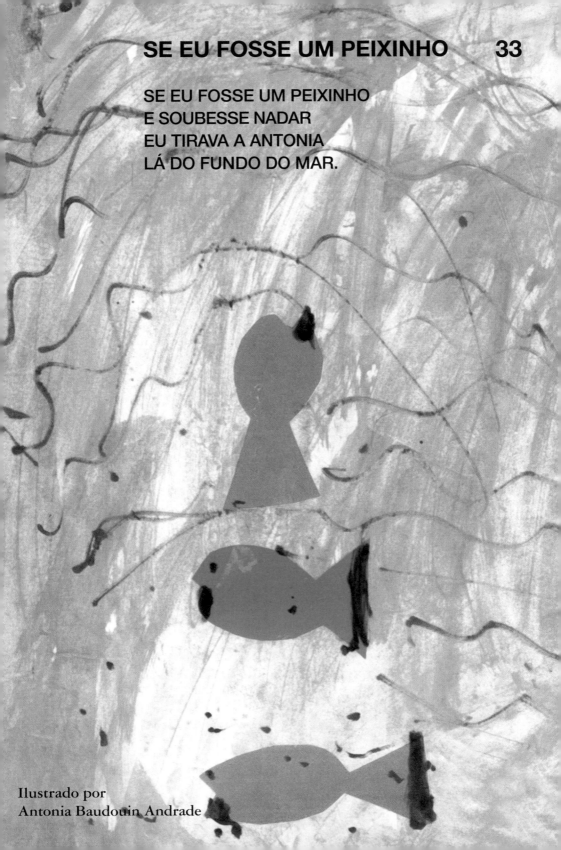

SE EU FOSSE UM PEIXINHO
E SOUBESSE NADAR
EU TIRAVA A ANTONIA
LÁ DO FUNDO DO MAR.

Ilustrado por
Antonia Baudouin Andrade

PARLENDA

UM, DOIS, FEIJÃO COM ARROZ
TRÊS, QUATRO, FEIJÃO NO PRATO
CINCO, SEIS, MOLHO INGLÊS
SETE, OITO, COMER BISCOITOS
NOVE, DEZ, COMER PASTÉIS.

Ilustrado por
Ricardo Bonilha Brentani

COELHINHO

DE OLHOS VERMELHOS
DE PELO BRANQUINHO
DE SALTO BEM LEVE
EU SOU COELHINHO.

SOU MUITO ASSUSTADO
PORÉM SOU GULOSO
POR UMA CENOURA
JÁ FICO MANHOSO.

EU PULO PRA FRENTE
EU PULO PRA TRÁS
DOU MIL CAMBALHOTAS
SOU FORTE DEMAIS.

COMI UMA CENOURA
COM CASCA E TUDO
TÃO GRANDE ELA ERA
FIQUEI BARRIGUDO.

Ilustrado por Francisco de Queiroz Luna

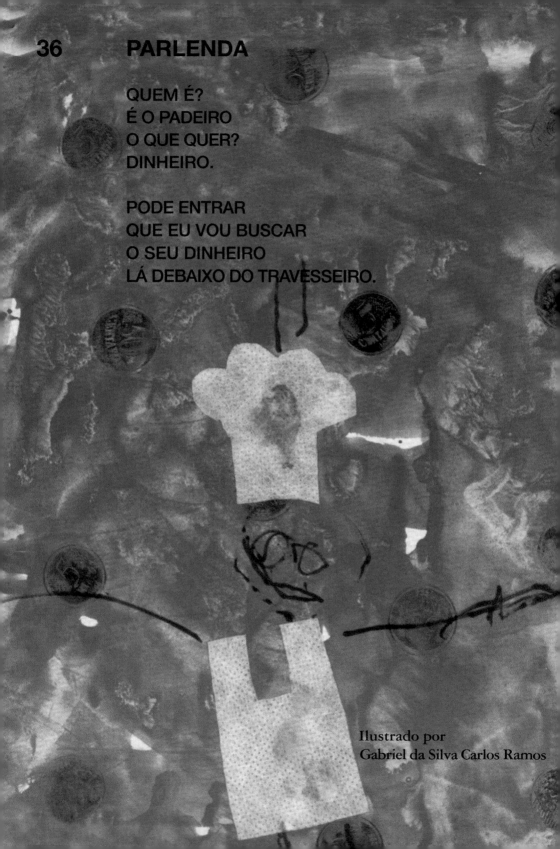

36 PARLENDA

QUEM É?
É O PADEIRO
O QUE QUER?
DINHEIRO.

PODE ENTRAR
QUE EU VOU BUSCAR
O SEU DINHEIRO
LÁ DEBAIXO DO TRAVESSEIRO.

Ilustrado por
Gabriel da Silva Carlos Ramos

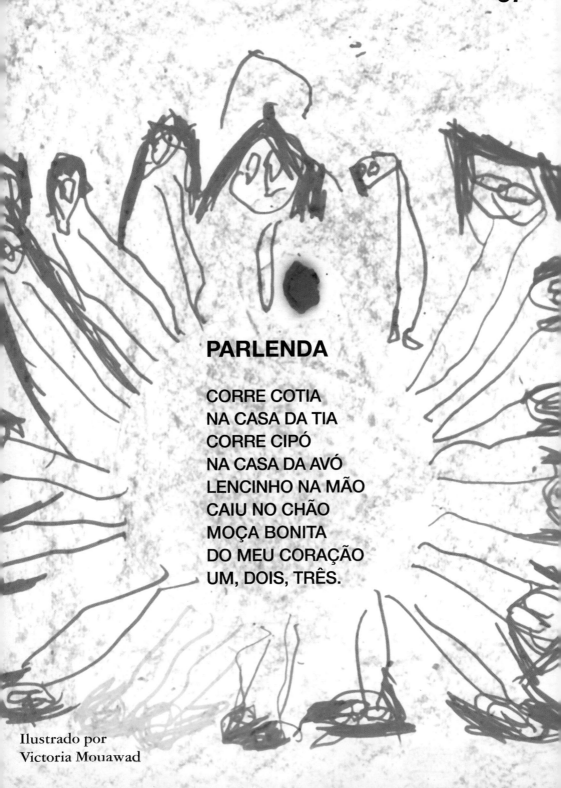

PARLENDA

CORRE COTIA
NA CASA DA TIA
CORRE CIPÓ
NA CASA DA AVÓ
LENCINHO NA MÃO
CAIU NO CHÃO
MOÇA BONITA
DO MEU CORAÇÃO
UM, DOIS, TRÊS.

Ilustrado por
Victoria Mouawad

TORCE, RETORCE

TORCE, RETORCE
PROCURO MAS NÃO VEJO
NÃO SEI SE ERA PULGA
OU SE ERA UM PERCEVEJO.

A PULGA E O PERCEVEJO
FIZERAM UMA COMBINAÇÃO
FIZERAM SERENATA
BEM DEBAIXO DO MEU COLCHÃO.

Ilustrado por
Fernando Silveira Malta

MARINHEIRO SÓ

AH, EU NÃO SOU DAQUI
MARINHEIRO SÓ
EU NÃO TENHO AMOR
MARINHEIRO SÓ
EU SOU DA BAHIA
MARINHEIRO SÓ
DE SÃO SALVADOR
MARINHEIRO SÓ

Ô MARINHEIRO,
[MARINHEIRO
MARINHEIRO SÓ
QUEM TE ENSINOU A
[NAVEGAR
MARINHEIRO SÓ
FOI O TOMBO DO NAVIO
MARINHEIRO SÓ
OU FOI O BALANÇO
[DO MAR
MARINHEIRO SÓ.

LÁ VEM, LÁ VEM
MARINHEIRO SÓ
COMO ELE VEM FACEIRO
MARINHEIRO SÓ
TODO DE BRANCO
MARINHEIRO SÓ
COM SEU BONEZINHO
MARINHEIRO SÓ.

Ilustrado por
Bruno Cimino
Preidikman

CASINHA

FUI MORAR NUMA CASINHA-NHA
INFESTADA-DA DE CUPIM-PIM-PIM
SAIU DE LÁ-LÁ-LÁ
UMA LAGARTIXA-XA
OLHOU PRA MIM
OLHOU PRA MIM E FEZ ASSIM:
SMACK! SMACK!

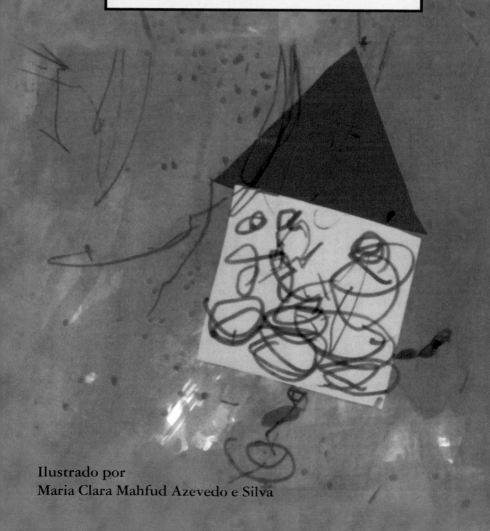

Ilustrado por
Maria Clara Mahfud Azevedo e Silva

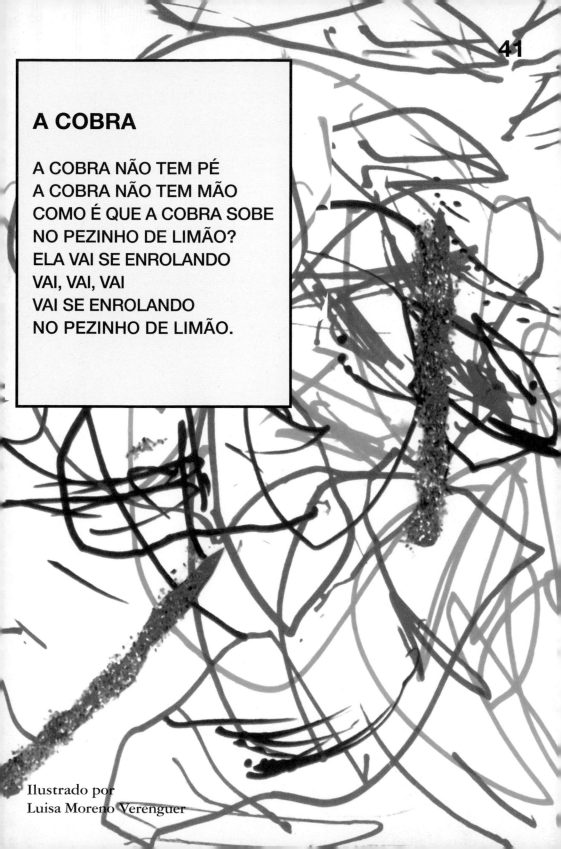

A COBRA

A COBRA NÃO TEM PÉ
A COBRA NÃO TEM MÃO
COMO É QUE A COBRA SOBE
NO PEZINHO DE LIMÃO?
ELA VAI SE ENROLANDO
VAI, VAI, VAI
VAI SE ENROLANDO
NO PEZINHO DE LIMÃO.

Ilustrado por
Luisa Moreno Verenguer

O CRAVO E A ROSA

O CRAVO BRIGOU COM A ROSA
DEBAIXO DE UMA SACADA
O CRAVO SAIU FERIDO
E A ROSA DESPETALADA.

O CRAVO FICOU DOENTE
E A ROSA FOI VISITAR
O CRAVO TEVE UM DESMAIO
E A ROSA PÔS-SE A CHORAR.

Ilustrado por
Thiago Graciani dos Santos

PEIXINHOS DO MAR

QUEM TE ENSINOU A NADAR?
QUEM TE ENSINOU A NADAR?
FOI, FOI, MARINHEIRO
FOI OS PEIXINHOS DO MAR
FOI, FOI, MARINHEIRO
FOI OS PEIXINHOS DO MAR.

E NÓS, QUE VIEMOS DE
OUTRAS TERRAS
DE OUTRO MAR
E NÓS, QUE VIEMOS DE
OUTRAS TERRAS
DE OUTRO MAR
TEMOS PÓLVORA,
CHUMBO E BALA
NÓS QUEREMOS
É GUERREAR
TEMOS PÓLVORA,
CHUMBO E BALA
NÓS QUEREMOS
É GUERREAR.

QUEM TE ENSINOU A NADAR?
QUEM TE ENSINOU A NADAR?
FOI, FOI, MARINHEIRO
FOI OS PEIXINHOS DO MAR
FOI, FOI, MARINHEIRO
FOI OS PEIXINHOS DO MAR.

Ilustrado por
Alex Yohei Costa

ATIREI O PAU NO GATO

ATIREI O PAU NO GATO-TO
MAS O GATO-TO
NÃO MORREU-REU-REU
DONA CHICA-CA
ADMIROU-SE-SE
DO BERRO, DO BERRO
QUE O GATO DEU
MIAU!

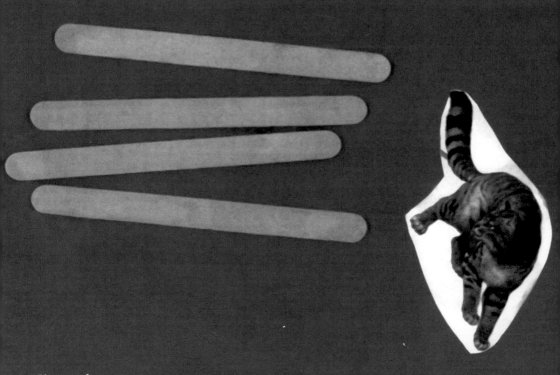

Ilustrado por
Teodoro Baudouin Andrade

ESCRAVOS DE JÓ

ESCRAVOS DE JÓ
JOGAVAM CAXANGÁ
TIRA, PÕE
DEIXA FICAR
GUERREIROS COM GUERREIROS
FAZEM ZIG, ZIG, ZÁ
LÁ, LÁ, LÁ, LÁ, LÁ...

Ilustrado por
Isabella Zurita Dehó

MOTORISTA

MOTORISTA, MOTORISTA
OLHA A PISTA
OLHA A PISTA
NÃO É DE SALSICHA
NÃO É DE SALSICHA
NÃO É NÃO
NÃO É NÃO.

MOTORISTA, MOTORISTA
OLHA O POSTE
OLHA O POSTE
NÃO É DE BORRACHA
NÃO É DE BORRACHA
NÃO É NÃO
NÃO É NÃO.

Ilustrado por
Giancarlo Pellegrini Granito

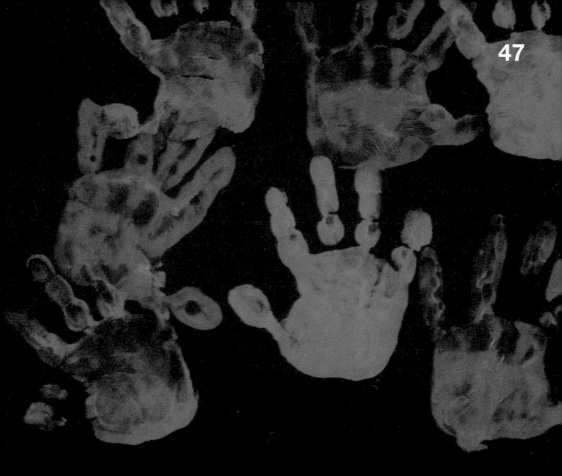

TRA LA

TRA LA, TRA LA , TRA LA LA LA LA LA
TRA LA LA, TRA LA LA
TRA LA LA, HEI!

TRE LE...

Ilustrado por
Gabriel Abdalla Conrado

SAI, PIABA

SAI, SAI, SAI, Ô, PIABA
SAI LÁ DA LAGOA
SAI, SAI, SAI, Ô, PIABA
SAI LÁ DA LAGOA.

BOTA A MÃO NA CABEÇA
OUTRA NA CINTURA
DÁ UM REMELEXO NO CORPO
DÁ UM ABRAÇO NO OUTRO.

Ilustrado por
Fabrizio Quintas Parmigiani

PARLENDA

O MACACO FOI À FEIRA
NÃO TEVE O QUE COMPRAR
COMPROU UMA CADEIRA
PRA COMADRE SE SENTAR
A COMADRE SE SENTOU
A CADEIRA ESBORRACHOU
COITADA DA COMADRE
FOI PARAR NO CORREDOR.

Ilustrado por
Ana Carolina Carpegiani Peyres Neves

TREM MALUCO

O TREM MALUCO
QUANDO SAI DE PERNAMBUCO
VAI FAZENDO CHIC, CHIC
ATÉ CHEGAR NO CEARÁ.

REBOLA PAI, MÃE, FILHO
EU TAMBÉM SOU DA FAMÍLIA
TAMBÉM QUERO REBOLAR.

Ilustrado por
Débora Cabral de Carvalho Corre

ERA UMA BRUXA
À MEIA-NOITE
EM UM CASTELO MAL-ASSOMBRADO
COM UMA FACA NA MÃO
PASSANDO MANTEIGA NO PÃO
PASSANDO MANTEIGA NO PÃO.

Ilustrado por
Thais Oliveira Reis

FUI AO MERCADO

FUI AO MERCADO COMPRAR CAFÉ
VEIO A FORMIGUINHA E PICOU MEU PÉ
E EU SACUDI, SACUDI, SACUDI
MAS A FORMIGUINHA NÃO PARAVA DE SUBIR.

FUI AO MERCADO COMPRAR BATATA ROXA
VEIO A FORMIGUINHA E PICOU A MINHA COXA

E EU SACUDI, SACUDI, SACUDI
MAS A FORMIGUINHA NÃO PARAVA DE SUBIR.

FUI AO MERCADO COMPRAR MAMÃO
VEIO A FORMIGUINHA E PICOU A MINHA MÃO
E EU SACUDI, SACUDI, SACUDI
MAS A FORMIGUINHA NÃO PARAVA DE SUBIR.

FUI AO MERCADO COMPRAR JERIMUM
VEIO A FORMIGUINHA E PICOU
O MEU BUMBUM
E EU SACUDI, SACUDI, SACUDI
MAS A FORMIGUINHA
NÃO PARAVA DE SUBIR.

Ilustrado por
Giuliana Mastropietro Borsari

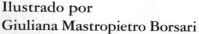

COMO PODE UM PEIXE VIVO
VIVER FORA DA ÁGUA FRIA?
COMO PODE UM PEIXE VIVO
VIVER FORA DA ÁGUA FRIA?

COMO PODEREI VIVER?
COMO PODEREI VIVER?
SEM A TUA, SEM A TUA,
SEM A TUA COMPANHIA?

Ilustrado por
Alice Maria Valente dos Reis

A BARATA MENTIROSA

A BARATA DIZ QUE TEM
SETE SAIAS DE FILÓ
É MENTIRA DA BARATA
ELA TEM É UMA SÓ

AH! HÁ HÁ
OH! HÓ HÓ
ELA TEM É UMA SÓ.

A BARATA DIZ QUE TEM
CARRO, MOTO E AVIÃO
É MENTIRA DA BARATA
ELA SÓ TEM É CAMINHÃO

AH! HÁ HÁ
OH! HÓ HÓ
ELA SÓ TEM É CAMINHÃO.

A BARATA DIZ QUE COME
FRANGO, ARROZ E FEIJÃO
É MENTIRA DA BARATA
ELA SÓ COME É MACARRÃO

AH! HÁ HÁ
OH! HÓ HÓ
ELA SÓ COME É MACARRÃO.

Ilustrado por Alana Claro

PARLENDA

A DO TE CÁ
LE PE TI
LE TO MÁ
NESCAFÉ COM CHOCOLÁ
A DO TE CÁ.

PUXA O RABO DO TATU
QUEM SAIU
FOI TU.

Ilustrado por
Pedro José da Silva

MINHOCA

MINHOCA, MINHOCA,
ME DÁ UMA BEIJOCA.
NÃO DOU, NÃO DOU, NÃO DOU.
ENTÃO EU VOU ROUBAR
(SMACK!)

MINHOCO, MINHOCO,
CÊ TÁ FICANDO LOUCO
VOCÊ BEIJOU ERRADO
A BOCA É DO OUTRO LADO!

Ilustrado por
Rafael Minerbo

LIMOEIRO

MEU LIMÃO, MEU LIMOEIRO
MEU PÉ DE JACARANDÁ
UMA VEZ ESQUINDÔ LÊ, LÊ
OUTRA VEZ ESQUINDÔ LÁ, LÁ.

Ilustrado por
Gabriel Elias Thut

GALO GARNIZÉ

TOME CUIDADO COM ESSE GALO PEQUENINO, VIU?
GARNIZÉ TE BELISCA O PÉ
ESSE GALO NÃO RESPEITA NEM MANDUCA, NEM MANÉ.

MEU MAMOEIRO QUE PLANTEI EM PERNAMBUCO
"GARROU" DE FICAR MALUCO
NÃO SEI MAIS O QUE VAI DAR.

JÁ DEU BISCOITO, DEU AMORA,
DEU AMEIXA, DEU MANDIOCA,
DEU CEREJA, DEU ATÉ FOLHA DE CHÁ.

Ilustrado por Gabriel Castelhano Eichenberger

SABIÁ

SABIÁ LÁ NA GAIOLA
FEZ UM BURAQUINHO
VOOU, VOOU, VOOU, VOOU
E A MENINA QUE GOSTAVA
TANTO DO BICHINHO
CHOROU, CHOROU,
CHOROU, CHOROU.
SABIÁ FUGIU PRO TERREIRO
FOI CANTAR LÁ NO ABACATEIRO
E A MENINA PÔS-SE A CHAMAR
VEM CÁ, SABIÁ, VEM CÁ.

Ilustrado por Francesca Cosenza

PASTORZINHO

HAVIA UM PASTORZINHO
QUE VIVIA A PASTORAR
SAIU DE SUA CASA
E PÔS-SE A CANTAR
DO, RÉ, MI, FÁ, FÁ-FÁ
DO, RÉ, DO, RÉ, RÉ-RÉ
DO, SOL, FÁ, MI, MI-MI
DO, RÉ, MI FÁ, FÁ-FÁ.

CHEGANDO AO PALÁCIO
A PRINCESA LHE FALOU:
— ALEGRE PASTORZINHO,
O SEU CANTO ME AGRADOU!

DO, RÉ, MI, FÁ, FÁ-FÁ
DO, RÉ, DO, RÉ, RÉ-RÉ
DO, SOL, FÁ, MI, MI-MI
DO, RÉ, MI FÁ, FÁ-FÁ.

Ilustrado por
Marcelo Martins Ferreira

SAMBA LÊ LÊ

SAMBA LÊ LÊ
TÁ DOENTE
TÁ COM A CABEÇA QUEBRADA

SAMBA LÊ LÊ
PRECISAVA
É DE UMAS BOAS PALMADAS

SAMBA, SAMBA, SAMBA Ô LÊ LÊ
PISA NA BARRA DA SAIA Ô LÁ LÁ.

Ilustrado por
Victor Marelli Thut

PARLENDA

FUI NO CEMITÉRIO
TÉRIO
TÉRIO
TÉRIO

ERA MEIA-NOITE
NOITE
NOITE
NOITE

TINHA UMA CAVEIRA
VEIRA
VEIRA
VEIRA

ELA ERA BONITA
NITA
NITA
NITA.

Ilustrado por
Danilo Expedito da Silva

BIDU

VEM CÁ, BIDU!
VEM CÁ, BIDU!
VEM CÁ, VEM CÁ, VEM CÁ.
NÃO VOU LÁ, NÃO VOU LÁ, NÃO VOU LÁ
TENHO MEDO DE APANHAR!

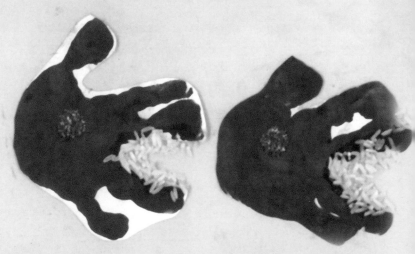

Ilustrado por
Pedro Vieira Barbosa Orsini

CAI, CAI, BALÃO

CAI, CAI, BALÃO
CAI, CAI, BALÃO
AQUI NA MINHA MÃO.

NÃO CAI, NÃO
NÃO CAI, NÃO
NÃO CAI, NÃO

CAI NA RUA DO SABÃO.

Ilustrado por
Camile Minerbo

CAPELINHA DE MELÃO

CAPELINHA DE MELÃO
É DE SÃO JOÃO
É DE CRAVO
É DE ROSA
É DE MANJERICÃO.

SÃO JOÃO ESTÁ DORMINDO
NÃO ACORDA, NÃO
ACORDAI,
ACORDAI,
ACORDAI, JOÃO.

Ilustrado por
Carolina Castelhano Junqueira Rodrigues

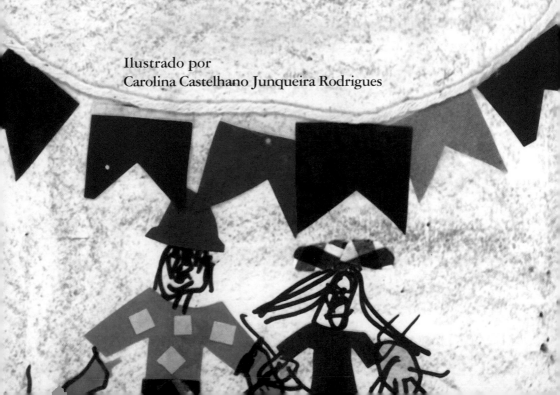

BOI

BOI, BOI, BOI,
BOI DA CARA PRETA,
PEGA ESSA MENINA QUE TEM MEDO DE CARETA.

Ilustrado por
João Pedro Abdo Said

CARNEIRINHO, CARNEIRÃO

CARNEIRINHO, CARNEIRÃO-NEIRÃO-NEIRÃO,
OLHAI PRÓ CÉU, OLHAI PRO CHÃO,
PRO CHÃO, PRO CHÃO
MANDA O REI, NOSSO SENHOR,
SENHOR, SENHOR
PARA NÓS NOS LEVANTARMOS.

Ilustrado por
Lucas Kugler Martino

PERIQUITO MARACANÃ

PERIQUITO MARACANÃ
CADÊ A SUA LAIÁ
FAZ UM ANO, FAZ UM DIA
QUE EU NÃO VEJO
ELA PASSAR.

Ilustrado por Pedro Soares Fialdini

INDIOZINHOS

UM, DOIS, TRÊS INDIOZINHOS
QUATRO, CINCO, SEIS INDIOZINHOS
SETE, OITO, NOVE INDIOZINHOS
DEZ NUM PEQUENO BOTE
VINHAM NAVEGANDO PELO RIO ABAIXO
QUANDO O JACARÉ SE APROXIMOU
E O PEQUENO BOTE DOS INDIOZINHOS
QUASE, QUASE VIROU.

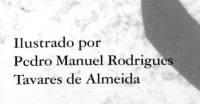

Ilustrado por
Pedro Manuel Rodrigues
Tavares de Almeida

PARLENDA

LÁ NA RUA 24
A MULHER MATOU UM GATO
COM A SOLA DO SAPATO
O SAPATO ESTREMECEU
A MULHER MORREU
O CULPADO NÃO FUI EU.

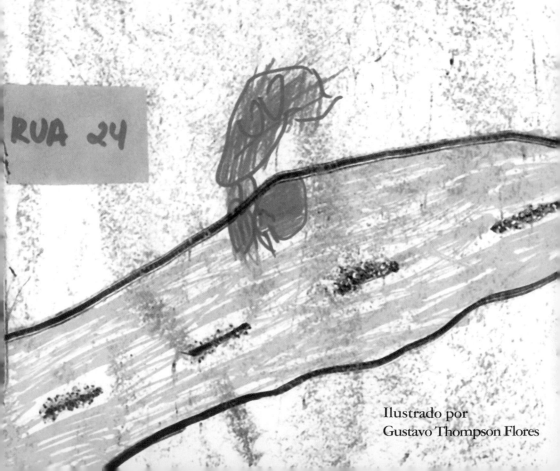

RUA 24

Ilustrado por
Gustavo Thompson Flores

SE ESSA RUA FOSSE MINHA

SE ESSA RUA, SE ESSA RUA FOSSE MINHA
EU MANDAVA, EU MANDAVA LADRILHAR
COM PEDRINHAS, COM PEDRINHAS DE BRILHANTE
SÓ PRA VER, SÓ PRA VER MEU BEM PASSAR.

NESSA RUA, NESSA RUA TEM UM BOSQUE
QUE SE CHAMA, QUE SE CHAMA SOLIDÃO
DENTRO DELE, DENTRO DELE MORA UM ANJO
QUE ROUBOU, QUE ROUBOU MEU CORAÇÃO.

SE EU ROUBEI, SE EU ROUBEI TEU CORAÇÃO,
TU ROUBASTE, TU ROUBASTE O MEU TAMBÉM
SE EU ROUBEI, SE EU ROUBEI TEU CORAÇÃO
FOI PORQUE, SÓ PORQUE TE QUERO BEM.

Ilustrado por
Patrícia Athié Gebara

MARCHA, SOLDADO
CABEÇA DE PAPEL
SE NÃO MARCHAR DIREITO
VAI PRESO PRO QUARTEL.

O QUARTEL PEGOU FOGO
FRANCISCO DEU SINAL
ACODE, ACODE, ACODE
A BANDEIRA NACIONAL.

Ilustrado por
Bianca Suemi Tanaka Souza Ribeirão

RIBEIRÃO

AS FLORES JÁ NÃO CRESCEM MAIS
ATÉ O ALECRIM MURCHOU
O SAPO SE MANDOU
O LAMBARI MORREU
PORQUE O RIBEIRÃO SECOU
OI TRÁ, LÁ, LÁ, LÁ, LÁ, LÁ, OI
OI TRÁ, LÁ, LÁ, LÁ, LÁ, LÁ, OI.

Ilustrado por
Paula Janssen Dias de Moura

FUI NO ITORORÓ

FUI NO ITORORÓ
BEBER ÁGUA, NÃO ACHEI
ACHEI BELA MORENA
QUE NO ITORORÓ DEIXEI.

APROVEITA, MINHA GENTE,
QUE UMA NOITE NÃO É NADA
SE NÃO DORMIR AGORA
DORMIRÁ DE MADRUGADA.

OH! DONA MARIA!
OH! MARIAZINHA!
ENTRARÁS NA RODA
OU FICARÁS SOZINHA.

SOZINHO EU NÃO FICO
NEM HEI DE FICAR
PORQUE EU TENHO MARIA
PARA SER MEU PAR.

Ilustrado por
Otávio Alves Mattos

NA MINHA FAZENDA TEM UM BOI
ESSE BOI SE CHAMA BARNABÉ
BARNABÉ,
SABE, ELE ESTÁ APAIXONADO
PELA MINHA LINDA VACA SALOMÉ
SALOMÉ.

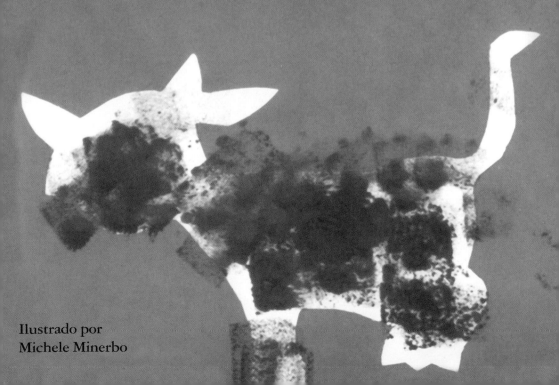

Ilustrado por
Michele Minerbo

LINDA ROSA JUVENIL

A LINDA ROSA JUVENIL,
JUVENIL, JUVENIL
VIVIA ALEGRE NO SEU LAR,
NO SEU LAR, NO SEU LAR
UM DIA VEIO A BRUXA MÁ,
MUITO MÁ, MUITO MÁ
E ADORMECEU A ROSA ASSIM,
BEM ASSIM, BEM ASSIM
E O MATO CRESCEU AO REDOR,
AO REDOR, AO REDOR
E O TEMPO PASSOU A CORRER,

A CORRER, A CORRER
UM DIA VEIO UM BELO REI,
BELO REI, BELO REI
E DESPERTOU A ROSA ASSIM,
BEM ASSIM, BEM ASSIM
E OS DOIS PUSERAM-SE A
[DANÇAR
A DANÇAR, A DANÇAR
E BATAM PALMAS PARA O REI
PARA O REI, PARA O REI.

Ilustrado por
Khalil de Castro Farah

BORBOLETINHA

BORBOLETINHA
TÁ NA COZINHA
FAZENDO CHOCOLATE
PARA A MADRINHA
POTI, POTI
PERNA DE PAU
OLHO DE VIDRO
E NARIZ DE PICA-PAU
PAU-PAU.

Ilustrado por
Henrique Abdalla Conrado

PARLENDA

UNI DUNI TÊ
SALAMÊ, MINGUÊ
UM SORVETE COLORÊ
O ESCOLHIDO FOI VOCÊ.

Ilustrado por
Luiz Otávio Fessel Ayres Netto